NOS PLUS BELLES
MAISONS
DE FAMILLES

*Our favourite
family homes*

Cette édition comporte un tirage de tête,
limité à 200 exemplaires,
numérotés de 1 à 200,
reliés cuir.

© Grange Editions
Saint Symphorien sur Coise - F. 69590

ISBN 2-9514679-0-7

Joseph et Zizou Grange

NOS PLUS BELLES
MAISONS
DE FAMILLES

Photos :
FH de Vignemont
Stéphane Audras
Zizou Grange

GRANGE
EDITIONS

Préface

Chaque maison devrait être une Maison de Famille. GRANGE

s'est donné pour mission de favoriser la réalisation de ce

rêve, et chaque année son catalogue illustre cette démarche.

L'idée de Maison de Famille est ancrée dans l'imaginaire de

tous les Français, et plus la réalité de la vie actuelle nous

éloigne du mythe de la famille, plus nous nous efforçons de

le ressusciter à travers des maisons que nous voulons

chaleureuses, conviviales, ouvertes sur l'avenir mais

enracinées dans une histoire, la nôtre.

Dans ce livre, nous avons choisi quelques-unes des

maisons qui nous ont inspirés lorsque nous avons élaboré le

concept des Meubles de Famille. Elles sont diverses, parce

que l'idée de Maison de Famille ne se réduit pas à un

modèle unique d'architecture, bien au contraire. Chaque

région a suscité un type de maison en osmose avec son

paysage et sa culture.

C'est l'amour de cette culture domestique d'une grande

simplicité, de ces paysages ensoleillés et de ces maisons

accueillantes du Sud de la France que nous vous invitons à

partager avec nous.

Every home should be a "Maison de Famille". GRANGE has

always tried to help this dream come true. Each year the

Grange catalogue illustrates our approach to this concept.

The idea of a Family Home is deeply rooted in French culture.

As the realities of contemporary life separate people from

family traditions, we strive to revive them through our homes,

which we want to be warm, and homely, while looking to

the future, remain anchored in a past that is

our own.

In this book, we have chosen some of he homes

that inspired us while we were working on the theme of

"Meubles de Famille". They are all different because the

idea of a Family Home can not be seen as simply as one

type of architectural model in fact quite the opposite. Each

region has given rise to a type of local habitation in perfect

harmony with its surroundings and culture.

We would like to share our love of simple domestic culture,

of sunshine on beautiful landscapes, and of the homely and

welcoming dwellings in the South of France.

● Paris

Monts du Lyonnais ● ● Lyon

Ardèche ●

● Lubéron

Provence ● ● Nice

Joseph et Zizou Grange

Sommaire

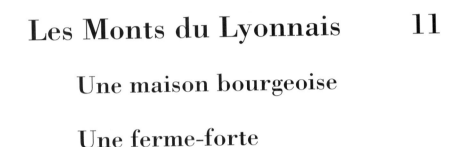

Les Monts du Lyonnais :
une maison bourgeoise

C'est une petite région très verte, de prairies et de forêts, à l'Ouest de Lyon entre les vignobles du Beaujolais au Nord et les Côtes du Rhône au Sud.

Le paysage est parsemé de beaux villages aux tuiles rouges. Saint Symphorien-sur-Coise, 3 500 habitants, en est la capitale depuis le moyen âge et a toujours été appelé « la ville », par les habitants de la région. L'église du XVè siècle, construite sur un ancien château fort, qui lui-même, succédait à un camp romain, domine l'agglomération et toute la vallée.

The Monts du Lyonnais :
A manor house

This is a region of lush green fields and forests, situated to the west of Lyon between the vineyards of the Beaujolais to the north and those of the Cotes du Rhone in the south.

The landscape is dotted with beautiful roofed villages with red tiled houses. Saint Symphorien, 3500 inhabitants, has been a major centre of this area since the Middle Ages and has always been called "The Town " by the local inhabitants. The church that dominates the village and the whole valley, dates from the XVth century, and is built on the site of a fortified castle which itself replaced a roman encampment.

11

Le village a toujours été industrieux. Après le tissage des draps et la tannerie, sont venus le travail des chaussures au XVIIIè siècle, puis des chapeaux (canotiers).
Le saucisson que vous pouvez déguster à Lyon vient souvent de « Saint Sym » et Grange s'y est développé à partir de 1905 perpétuant une longue tradition d'artisans ébénistes, à laquelle se réfère sa production d'aujourd'hui.

The village has always been industrious. After the weavers of household linen and the tanners came the shoe making industry in the XVIIIth century, and then the hatters. The dried sausage that is regularly eaten in Lyon frequently comes from our village. Grange has grown here since the beginnings in 1905 from a long tradition of skilled cabinetmakers, and today's production still reflects this tradition.

Un peu partout en France, les notables aménagèrent au XIXè siècle des maisons bourgeoises.

Celle que nous vous présentons est constituée d'un domaine agricole avec cour fermée, auquel est adossée la maison de maître.

L'extérieur comprend classiquement une terrasse, un parc et un potager transformé en jardin d'agrément, ainsi qu'un vaste pigeonnier. Dès le XVIè siècle, la maison est mentionnée comme siège d'une confrérie religieuse. Mon grand-père, Joseph Grange, fondateur des Meubles Grange y a vécu jusqu'en 1955, j'y suis né en 1943, mes parents y vivent toujours ainsi que Pierre-Emmanuel mon fils, sa femme Laurence et leurs enfants Juliette (8 ans) et Clément (5 ans). Des générations de cousins ont joué et construit des cabanes sous ses grands arbres.

All over France during the XIXth century prominent people made investments in manor houses. This manor house is part of an agricultural estate with a closed in courtyard backing onto the Master house.

The outside, as in most cases, includes a terrace and a kitchen garden that has been transformed into a delightful garden. There is also a vast dovecote. In the XVIth century the house was mentioned as a monastery. Joseph's grandfather, Joseph Grange founder of Grange Furniture lived there until his death in 1955, and Joseph was born there in 1943. His parents still live in the house with our son Pierre Emmanuel, his wife Laurence and their children Juliette (8) and Clement (5). Generations of cousins have played and built wood cabins under these majestic trees.

A chaque génération, le pigeonnier sert de refuge aux enfants rêveurs.

For each generation of children the dovecote has been their secret garden.

Pages suivantes : L'été, le jardin est le lieu de toutes les fêtes pour Juliette, Clément et leurs amis.

Following pages: In the summer, the garden is an ideal playground for Juliette, Clement and all their friends.

Page précédente : Comment faire de sa collection d'insectes un thème de décoration. Le buffet, années quarante, a été chiné aux puces par Pierre-Emmanuel et Laurence.

Preceding page: How to make a decorative theme of a collection of insects with a sideboard from the 40's found in a second hand shop by Pierre Emmanuel and Laurence.

Une autre passion de la famille les montres fantaisie… sans intérêt pour les cambrioleurs.

Another family hobby: collecting fantasy watches… of no interest to burglars

La chambre haute en couleurs mélange audacieusement une commode du XIXè en noyer, un siège de coiffeur années quarante, avec un luminaire, un lit Indochine de Grange et une chaise-médaillon personnalisée par Pierre Emmanuel.

The brightly decorated bedroom audaciously mixes a XIXth century chest of drawers in walnut, a barber's armchair from the 40's with a lamp and a bed from the Grange Indochine collection

Page précédente : Dans cette chambre très fraîche, le mobilier en faux bambou de style Napoléon III est une ancienne collection Grange.

La chambre d'amis avec son lit à baldaquin « à la polonaise » est éclairée par une superbe lanterne vénitienne que les grands-parents avaient rapportée de leur voyage de noces à Venise. Page 27 : Juliette a choisi un bleu fort pour les murs de sa chambre avec une frise en zigzags blanche.

Pages suivantes : Une autre fameuse collection de Grange : Irlande (1977) éclaire la grande cuisine traditionnelle et pages 30 / 31 : le bureau du fondateur de Grange est resté en l'état avec 2 fauteuils club en toile de Jouy.

Preceding page: In this very airy bedroom. The furniture made of false bamboo in the style of Napoleon III is a set of a former Grange collection.

A magnificent venetian lamp which was brought back by Joseph's grandparents from their honeymoon in Venice, lights up the visitor's bedroom with its polonaise four poster bed. Page 27: Juliette chose a deep blue with a zigzag frieze for the walls in her room.

Following pages: Part of another very well known Grange collection, Irlande (1977), brightens up the large traditional kitchen and pages 30 /31: the desk of the founder of the Grange furniture business has been kept in its original state with two club armchairs covered in toile de Jouy.

Les Monts du Lyonnais : une ferme-forte

Très enneigée l'hiver, la région est fraîche l'été en raison de son altitude, jusqu'à 930 m. C'est une région idéale pour la randonnée. Les villages y sont calmes et s'animent le dimanche matin autour de l'église et des bistrots. Une fois l'an, chaque village organise sa fête, parfois autour d'une brocante.

Monts du Lyonnais : A Fortified Farm

Snow covered during the winter months, the region is cool in summer due to its altitude, up to 930 metres. It is an ideal region for hiking. The villages are quiet, but come to life on Sunday mornings, centred around the church and the cafes. Once a year each village organises its own village fete, sometimes including sales of second hand goods.

Jusqu'au siècle dernier les campagnes n'étaient pas sûres et les maisons souvent isolées, d'où la tradition des fermes-fortes, à cour fermée, très austères avec peu d'ouvertures sur l'extérieur. C'est dans une de ces bâtisses, Montbrey, que nous habitons depuis 25 ans. Comment la rendre aimable sans la défigurer, habitable en en respectant les volumes et les matériaux ? C'est à ce problème que Zizou s'est confrontée.

Until the end of the last century the countryside was not very safe and houses were often isolated; hence the tradition of fortified farms, with a closed in courtyard, a very stark appearance and with few openings outside. We have lived in one of these stone built farms, Montbrey, for the past 25 years.
Zizou attacked the problem of making the building hospitable and giving it a friendly atmosphere without spoiling the volumes and the materials used.

Dominant un vallon préservé de toute construction récente, à 850 m d'altitude, Montbrey a été construit à partir de 1629 dans la pierre du pays, par le châtelain de Lafay.

Dominating a small valley protected from all recent construction at an altitude of 850 metres, Montbrey was built in local stone by the former lord of Lafay in 1629.

Les masses importantes des murs ont été adoucies par une abondance de glycines, rhododendrons et hortensias. Le hangar transformé en une grande cuisine d'été est l'endroit des fêtes de famille ou des repas entre amis.
Chaises Véranda de Grange.

The severity of the sizeable stone walls has been toned down by an abundance of Wisteria, rhododendrons and hydrangeas. A large storage shelter has been transformed into a large summer kitchen, and is a place for family gatherings or for meals with friends.
Veranda chairs from Grange.

Pour le baptême de Blanche, tout était blanc et crème : chaises Shaker et buffet de chasse Grange, tableau d'Isabelle, la fille de la maison, peintre à New York.

For Blanche's baptism party everything was in white and cream: Shaker chairs and a buffet sideboard from Grange and one of Isabelle's paintings. Our daughter Isabelle is an artist and lives in New York.

Les murs épais de 70 cm permettant peu de fantaisie, les volumes des pièces principales sont restés intacts. La cuisine s'organise autour de la « table de famille » de Grange.

The walls are 70 cms thick and do not permit many whims. The forms of the main rooms have been left. The kitchen is centred on the "family table" from the Grange collection.

Tout l'hiver, l'immense cheminée d'origine devient le cœur de la maison.
Les collections de Zizou, natures mortes, vases Médicis ou barbotines, voisinent avec nos meubles favoris de Grange :
bergères et (pages suivantes) écritoire St. Exupéry, bibliothèque Stendhal, fauteuil Louisiane etc.

All through the winter the original vast fireplace becomes the heart of the house. Zizou's collection of still life, Medicis vases or ceramic vases from the South of France adjoin our favourite pieces of furniture from Grange: a wing chair and (following pages) a St. Exupery writing desk, a Stendhal bookcase, a Louisiane armchair etc.

Le petit cheval de bois peint, jouet trouvé dans les décombres du four à pain, est la mascotte de la maison. Il conserve sa place même au milieu des cristaux d'un repas de fête.

The small painted wooden horse was found in the rubble of the bread oven and is the house mascot. It always has its place even amidst the crystal for a festive meal.

*Jeux d'eau dans le calme de l'étang,
où il est interdit d'aller seul.*

*Water games in the calm waters
where the children are forbidden to
play alone.*

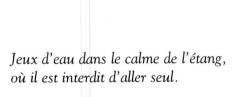

Pages suivantes : Le bureau de Zizou - sans commentaire ! - buffet Bastide, fauteuil Napoléon, Lampadaire de Zizou pour Grange.

Following pages: Zizou's desk - no comment - Bastide sideboard, Napoleon armchair, a lamp by Zizou for Grange.

Un été à la campagne où l'on recherche les photos souvenirs pour illustrer la généalogie. Pour étancher la soif, la source Badoit est à 15 km.

Summer in the country, looking through photographs for souvenirs to complete the family tree. To quench your thirst the Badoit mineral water source is only 15 km away.

A l'étage, l'ancien grenier à grains a été cloisonné en chambres.

Upstairs, the original grain storage loft has been converted into bedrooms.

La chambre d'amis.
Là encore, le blanc et le
naturel dominent. Cheminée
et boiseries cérusées pour
ranger du linge ancien.
Dans la cheminée, la réplique
à l'échelle 1/2 et 1/10ème du
bureau de George Sand, le
premier meuble de la collection
Mémoires, fauteuil Club,
lampadaire de Zizou pour
Grange.

*The visitors' bedroom. Here
again white and natural colours
dominate. There is a fireplace,
and linen is stored in whitened
woodwork. In the fireplace,
replicas at 1/2 and 1/10th
scale of George Sand's desk,
the first of the Memoires
collection, a Club armchair,
and a lamp by Zizou for
Grange.*

Le traditionnel savon de Marseille à base d'huile d'olives n'est toujours pas détrôné par les nouveaux produits de toilette, il est en plus un vrai objet décoratif..

The traditional Marseilles soap made with olive oil has never been bettered by the newer beauty products and it is also very decorative.

Toujours dans les mêmes tonalités, les salles de bains associent des matériaux naturels, rotin, corde, lin, coton, bois cérusés et carreaux anciens au sol.

In the same tones as before, the bathrooms combine several natural elements like cane, rope, linen, cotton and whitened wood with the time honoured floor tiles.

L'Ardèche : la double vie du Mas des Reys

L'Ardèche est pour nous la plus belle des régions de vacances : sauvage, authentique, ensoleillée, c'est un endroit magique pour implanter sa maison de famille.

Le Mas des Reys a eu une double vie.

En 1540, un Pascal de Clermont Ferrand s'établit en basse Ardèche et devient vigneron aux Reys. Le phylloxera ruine la vigne en 1865 et la famille concentre son activité sur le ver à soie. Avec 120 ruches, 200 oliviers, des châtaigniers et quelques cochons, la famille vit en autarcie. En 1936, René Pascal quitte la maison en se mariant, elle restera vide.

1964, Mireille et Robert Lemaitre, instituteurs près de Saint Etienne, cherchent une maison de vacances à petit budget pour leurs 5 enfants (ils en auront 9 !). Pour 5 500 francs (850 Euros aujourd'hui), Alain Pascal leur vend une quasi ruine sans fenêtre. Au début, ils campent dans le jardin. La maison n'a pas d'eau, on se lave à la rivière.

Commence alors un énorme chantier familial qui durera 30 ans pour Robert et ses enfants devenus de vrais spécialistes. Hervé réalise la menuiserie et le crépi, Thierry assure les finitions délicates, Christophe les carrelages, Jérôme l'électricité et les sanitaires. Les filles Axelle et Séverine se spécialisent dans les peintures et les petits aident les aînés.

C'est maintenant sur 600 m2 une magnifique maison de 9 chambres qui abritent Robert, Mireille et leur descendance (25 personnes) rejoints tous les étés par une foule d'amis car l'hospitalité est aussi une tradition ardéchoise.

The second life of the Mas des Reys.

The Ardeche region has always been the most wonderful of holiday areas for us; wild, authentic, bright sunshine; it is an almost magical place, in which to have a family home.

The Mas des Reys has had a double life.

In 1540 a member of the Pascal family from Clermont Ferrand came to the lower Ardeche region and started a vineyard at Les Reys. The Phylloxera disease destroyed the vineyard in 1865 and the family then turned to silkworm production. They also had 120 beehives, 200 olive trees and a few pigs and were self-sufficient. In 1930 Rene Pascal moved away, married, and the house was left empty.

In 1964 Mireille and Robert Lemaitre, teachers living near St. Etienne were looking for a cheap holiday home for themselves and their 5 children (they had 9 children in all). For 5500 francs (850 Euros), Alain Pascal, who had inherited the house sold them a near ruin without windows. At the beginning they camped in the garden. The house had no water, so they washed in the river. And so began a huge family building project that lasted 30 years for Robert and his children who thus became specialists. Herve did the woodwork and the roughcasting, Thierry saw to the finishing touches, Christophe did the tiling, and Jerome, the electricity and plumbing. Their daughters Axelle and Severine became experts in painting, and the youngest helped their elders. Robert and Mireille now have a magnificent 600 square metre home with 9 bedrooms. They can now live here with all their family (25 in all) and they are joined every summer by a host of friends, because hospitality is also one of the traditions of the Ardeche.

Aux Reys, le dehors et le dedans s'interpénètrent grâce aux nombreuses terrasses et voûtes fraîches et accueillantes. Cette « façade du soir » bénéficie de l'ombre d'un magnifique tilleul.

At the Reys, inside and outside intermingle due to the many cool and congenial terraces and archways. This " evening side" benefits from the advantages of the shade provided by a magnificent lime tree.

L'entrée résume bien l'esprit de la maison avec ses voûtes et escaliers en calcaire du pays, mises en valeur par Emmanuel le fils paysagiste.

The main entrance summarises the character of the house with its archways and stairs in local limestone enhanced by their son Emmanuel's talents as a landscape gardener.

Des trésors de Nature sont rassemblés par toute la famille dans les auges en pierre sur différentes terrasses.

Nature's treasures, collected by the whole family, are displayed in the stone troughs on the various terraces.

La grande terrasse couverte est le sas d'entrée, véritable carrefour entres les diverses parties de la maison. Ensemble rotin de Grange.

The large covered terrace is the entry passage, a crossroads leading to the different parts of their home. Cane furniture from Grange.

Avec la fraîcheur qui arrive, le soir est l'instant privilégié pour profiter de cette terrasse quand le concert des grenouilles se déclenche au bord de la rivière toute proche.

The cool of the evening arrives and provides a favoured moment to take advantage of this terrace, while frogs croak a concert on the nearby river bank.

C'est l'heure du barbecue et d'une dernière pétanque.

Time for a barbecue and a last game of petanque

A l'heure de l'apéritif, le pastis accompagne les parties de boules, quelquefois c'est le vin rosé de l'Ardèche…, plus rarement l'eau pétillante de Vals les Bains.

Pre dinner drinks; with pastis and a game of bowls, sometimes it is the rose wine from Ardeche. Less frequently sparkling water from Vals les Bains.

Page précédente : La cave a été aménagée en boulodrome, davantage pour se protéger de la grosse chaleur de l'été que du froid piquant de l'hiver.

Preceding page: The cellar has been converted to play bowls indoors, as much for escape from the high summer temperatures as from the icy cold of the winter.

Pour cette fête entre copains, Hervé et Jérôme ont allumé le four, un ami, Charles a préparé la pâte à pain et Mireille les tartes et les pizzas.

For this get together between friends, Herve and Jerome have lit the oven. A friend, Charles, prepares bread dough and Mireille tarts and pizzas.

Les Coteaux d'Ardèche produisent maintenant un excellent vin à boire frais, propice à la fête.

The Coteaux d'Ardeche produce an excellent, light wine that is ideal for parties with friends.

Pour Robert et Mireille, une table ne se conçoit pas à moins de 12 couverts… et 20 c'est encore mieux.

For Robert and Mireille a table of less than 12 is inconceivable… with 20 it's even better.

L'Ardèche offre d'intéressantes ressources gastronomiques, la charcuterie et les fromages de chèvres bien sûr, mais surtout la châtaigne, à l'origine de toute une cuisine depuis la soupe de châtaignes fumées, aux marrons qui accompagnent la dinde, jusqu'aux crèmes, tartes, glaces et marrons glacés... C'est aussi une des premières régions de production pour les fruits : pêches, abricots, cerises.

The Ardeche has some very interesting gastronomic resources. There are numerous types of sausages, "patés", and hams, goat's cheeses Basse especially sweet chestnuts which are the basis of many dishes such as, smoked chestnut soup, chestnut stuffing, chestnut cream, tarts, ices and glazed chestnuts. It is also one of the main production areas for peaches, apricots and cherries.

Dans la cuisine toujours fraîche, homme-debout et buffet
de chasse Grange.

In the kitchen, which is always cool, a tallboy and a buffet
sideboard from Grange.

La « terrasse du matin » donne sur les « Gras », collines d'aspect aride où poussaient vigne et oliviers et où paissent encore quelques moutons.
Alain pascal y réintroduit le chêne truffier. Chaises pliantes de Grange, bougeoirs de table Zizou pour Grange.

The "morning terrace" looks over "Les Gras", barren looking hills where some sheep are still to be found amongst the former vines and olive plantations. Alain Pascal replanted oak trees for truffle production. Folding chairs from Grange, candlesticks by Zizou for Grange.

Mireille chine depuis 30 ans : verres, couverts, vaisselle et nappes proviennent de brocantes, principalement de Barjac, la plus importante foire aux antiquités de la région.

For 30 years Mireille has been collecting second hand objects; glasses, cutlery, china, and tablecloths have come, notably from Barjac where the most important second hand goods fair in the region is held.

Les collections de Mireille se retrouvent dans toute la maison, faïences de Gien, jeux d'autrefois, livres anciens et ici, pipes et chapelets côtoient les peluches pour le bonheur de ses petits enfants.

Mireille's collections can be found throughout the whole house - glazed earthenware from Gien, games and books from the past, and here pipes and rosary beads next to the soft toys, for the grand children's delight.

Une bastide en Lubéron

L e Lubéron est peut être la plus snob des régions touristiques françaises. Il est de bon ton d'y posséder sa maison. Il faut dire que les villages y sont splendides, haut perchés sur leurs collines, blancs de cette pierre calcaire, matériau unique depuis le pavé des rues jusqu'au faîtages des maisons. C'est le pays décrit très caricaturalement par Peter Mayle dans son célèbre « Une année en Provence ».

Tout à côté, commencent les Alpes de Haute Provence, une région sauvage avec de grands plateaux balayés par les vents, plantés de lavande et parcourus de moutons et de chèvres, sous un ciel immense ensoleillé plus de trois cents jours par an. C'est la Provence de Giono et de ses romans.

A la jonction de ces deux paysages contrastés, Dominique et Eric ont trouvé la maison de leurs rêves il y a vingt ans. Nous avons promis de ne pas dévoiler le nom de ce minuscule village où le calme est miraculeusement préservé.

Au sommet d'une colline, la maison, très vaste est habillée des tons naturels de l'ocre que l'on trouve dans les carrières à proximité du village.

A Provençal manor house in the Luberon

The Luberon is perhaps the most sought after of French tourist regions. It is considered to be a symbol of success to own one's house in this area. We must admit that the villages are splendid, perched high on their hills, built of white limestone. This local construction material can de found from the cobbles in the streets to the ridge tiling of the houses. Peter Mayle caricatured this region of France in his well known book "A year in Provence."

Right next to this region we find the Alpes de Haute Provence, a wild area with vast windy plateaux, planted with lavender and grazed by sheep and goats. The vast sunlit sky is clear for over three hundred days a year. This is the Provence of Giono and the subject of his novels.

At the crossroads of these contrasting regions Dominique and Eric found their dream house twenty years ago. We promised not to disclose the name of their tiny village where peace and calm have been miraculously preserved.

On the summit of the hill this spacious home reflects the natural ochre tones found in quarries near the village.

Cette année Justine, leur plus jeune fille y célébre
son mariage. Pour elle la maison s'est mise en
tenue de fête. On a dressé la tente sur la terrasse.
Ce soir les lanternes brilleront.

This year the house put on its party clothes for the
wedding of Justine, the youngest daughter. A
marquee has been erected on the terrace and this
evening the lanterns are glowing.

Savon et cire naturelle vont nettoyer et faire reluire toute la maison.
Meubles Bastide, chaise Morphée de Grange.

Natural soap and wax to clean and shine the whole house.
Bastide furniture and Morphee armchair by Grange.

Dominique prépare pour ses invités, le linge de famille brodé avec monogramme.

Dominique is preparing to receive their guests. They will be using the embroidered with family's monogram linen.

Arthur et Gaspard sont consignés, leurs démonstrations d'amitié seraient mal venues.

Arthur and Gaspard are confined to their quarters. Their overt demonstrations of a friendly welcome might not be to everyone's taste.

Ouvrir la maison de son enfance, c'est le plus beau cadeau que Justine pouvait faire à ses invités.

Opening up her childhood home is the best present that Justine could offer to her guests.

Pages précédentes : Dans le salon de musique, la répétition est terminée.

Preceding pages: In the music room; practice has finished

Le petit salon reste en toutes circonstances un havre de paix. La lumière est toujours dorée sur ses murs passés à l'ocre de Roussillon.

The small sitting room is always a haven of peace. Gilded light is reflected by the Roussillon ochre tinted walls.

Les tomettes provençales donnent à la chambre une impression de fraîcheur, mais les boutis sont déjà prêts pour l'hiver.

The provençal "tomettes" (red hexagonal floor tiles) give freshness to the bedroom; the "boutis" (quilts) are ready for winter!

Une belle harmonie rose fané et gris pour cette chambre à alcôve, bonne réactualisation du style Louis XV provençal.

A beautiful harmony of faded pinks and greys for this bedroom made in an alcove, a tasteful adaptation of the Louis XVth provençal style.

Encore des couleurs pastel dans les détours de l'étage des chambres, avec toujours l'unité de ton donnée par les tomettes anciennes.
Console et miroir Malmaison en canne écaille de tortue de Grange.

More pastel colours in the upstairs hall leading to the bedrooms in harmony with the colour of the red "tomettes". Malmaison console table and mirror in tortoise shell cane from Grange.

Une vieille bouée rouillée d'une barque de pêcheur, nourrit les rêves des petits pirates dans cette chambre d'enfants.

An old rusted buoy from a small fishing boat fires the imagination of would be pirates in this children's bedroom.

Il y a peu de temps, Justine dormait encore dans ce superbe lit d'enfant à baldaquin Louis XVI.

Not long ago Justine slept in this beautiful Louis XVIth child's canopy bed.

La pièce favorite d'Eric est bien sûr son bureau où l'hiver, la cheminée
est indispensable malgré le ciel bleu et le soleil.
Superbe miroir vénitien sur la cheminée teintée à l'ocre du pays.
Bibliothèque Directoire de Grange.

Eric's favourite room is of course his study, where a fire is still needed
in winter, despite the blue sky and the sunshine. Above the fireplace a
superb venetian mirror, tinted with local ochre.
Directoire bookcase by Grange.

La fougasse est un pain local aussi typique que peuvent l'être le radassier : canapé traditionnel provençal et le boutis : couverture piquée de nos grands-mères.

This local bread based speciality is called a "fougasse". It is as typical as the radassier, a traditional Provençal settee and the boutis, a stitched cover from grandmother's days.

*Pour la cuisine de tous les jours,
Dominique utilise une vaisselle
provençale traditionnelle.
Meuble Bastide de Grange.*

*For her everyday meals, Dominique
uses traditional provençal china.
Bastide furniture by Grange.*

GRASSE :
La maison des fleurs

Dans le cortège des villages qui surplombent la Côte d'Azur, GRASSE tient une place à part.

Depuis des siècles on y élabore des parfums avec les fleurs de Provence et les parfumeurs Molinard, Fragonard, Gallimard sont célèbres dans le monde entier.

Marie et Paul sont tous deux médecins à Lyon. Il y a 25 ans, en visitant des amis à GRASSE, Marie est tombée amoureuse d'une superbe bâtisse du XVIème siècle... en ruines. Son état la rendait financièrement accessible, mais il a fallu 25 ans et beaucoup de talent pour en faire ce qu'elle est aujourd'hui, merveilleusement restaurée avec des matériaux anciens patiemment rassemblés.

Paul a défriché et remis en état ce jardin provençal où l'on retrouve toutes les fleurs et plantes aromatiques de la région.

Aujourd'hui à la retraite, il initie son petit-fils Antoine au jardinage. Marie à su créer dans la maison une atmosphère très douce à vivre, calme, dans un décor d'une simplicité très raffinée où elle cuisine merveilleusement les trésors qu'elle rapporte du marché de GRASSE.

GRASSE : A home amongst flowers.

Grasse holds a special place in the succession of villages that overlook the Cote d'Azur. For centuries perfumes have been created using flowers from Provence, and world famous perfume houses such as Molinard, Fragonard, Gallimard are to be found here.

Marie and Paul are both doctors from Lyon. 25 years ago, while visiting friends in Grasse, Marie fell in love with a magnificent stone building in ruins dating from the XVIth century. Because it was in such a bad condition they were able to buy it, but it needed 25 years and lots of talent to make it what it is today, beautifully restored using patiently collected antique materials.

Paul has cleared and restored this provençal garden, in which all the aromatic flowers and plants of the area can be found. Now he is retired and teaching his grandson, Antoine to look after it.

Marie has created a calm and soothing atmosphere in their home. The interior decoration is a model of very refined simplicity and within Marie cooks wonderfully, using the treasures that she brings back from the market in Grasse.

Page précédente : Les vieux alambics de cuivre sont devenus des sculptures insolites dans les rues de Grasse.

Preceding page: Old copper stills have become incredible sculptures in the streets of Grasse.

La maison située en bordure d'une ruelle très calme s'ouvre sur une terrasse ombragée par un magnifique néflier.
La double génoise du toit et les œils de bœuf sont typiques de l'architecture provençale.

The house is situated in a very calm alley and opens onto a terrace that is in the shade of a magnificent neflar tree.
The double eaves and the porthole windows are typical of Provençal architecture.

Près de l'entrée, Pierre a beaucoup
« civilisé » ses buis en boules ou en
haies bien taillées.

Near the entry, Pierre has shaped the
box bushes into spheres or well
trimmed hedges.

Sous la lumière écrasante, le cadran
solaire marque les heures depuis près
de 400 ans.

Under the very bright sun light, the
sun dial has marked the hours for over
400 years.

Le jardin est profond et recèle des endroits secrets propices aux confidences à l'ombre des oliviers, des figuiers ou des micocouliers.

The garden is long and full of secret places where confidences can be exchanged in the shade of olive trees, fig trees or micocouliers

Page suivante : Chaise Malmaison de Grange pour le grand-père, petit fauteuil provençal ancien pour Antoine.

Following page: A Malmaison chair from Grange for grandfather; a small antique provencal armchair for Antoine.

Chaque matin Marie part explorer les senteurs, les rumeurs et les couleurs du marché de Grasse.

Each morning Marie explores the hum, the perfumes and the colours of the market in Grasse.

Fruits et légumes sont à consommer sans modération dès le retour du marché.

Appetites can be fully satisfied as soon as Marie comes back from the market with fruit and vegetables.

La chaise de lecteur, autrefois utilisée pendant les veillées est un poste d'observation idéal du jardin dans l'encoignure de la fenêtre.

This reading chair, in former days used during evening story telling, is ideal to keep an eye on the garden from the corner of the window.

Cette pièce à vivre est un hommage au poète
provençal Frédéric Mistral.
(réplique de son secrétaire par Grange).

*This living room is dedicated to the French
Provençal poet Frederic Mistral.
(replica of his writing desk by Grange).*

L'influence des parfumeurs imprègne toute la maison et Marie collectionne les plantes aromatiques : lavande, romarin, thym, sauge, sarriette, santoline…
Fauteuil Monte-Carlo de Grange.

The influence of the perfume tradition is felt throughout the whole house. Marie has collections of aromatic plants such as, lavender, rosemary, thyme, sage, wild basil…
Monte-Carlo armchair from Grange.

Page précédente : Fauteuil des campagnes de Napoléon par Grange.

Preceding page: Napoleon campagn armchair from Grange.

La petite salle à manger n'est qu'une harmonie de verts tendres, lichen, amande, équilibrée par le rouge sourd des tomettes anciennes et enrichie par des touches de vieil or.

The small dining room is a perfect harmony of the delicate greens of lichen and almond, in balance with the deep red of the "tomettes" tiles and enriched by touches of old gold.

Page suivante : La terrasse du matin offre une échappée sur les collines de cyprès.
Fauteuil de repos Morphée de Grange.

Following page: The morning terrace offers an uninterrupted view over the hills covered in cypress trees.
Morphee armchair by Grange

Parfois la recherche de fraîcheur devient une obsession. Les voûtes du rez-de-chaussée, la pénombre de certaines pièces sont autant d'incitations à la sieste.

Sometimes the need for a cooler place can become an obsession. The archways on the ground floor or the half light in certain rooms call to have an afternoon siesta.

En rentrant du jardin, Paul a parfois un geste
désinvolte, mais c'est ainsi que l'on habite sa
maison de famille.

Paul is sometimes a little nonchalant as he comes
in from the garden, but that is how you live in
your family home.

Après la sieste, quoi de meilleur qu'une douche
glacée dans la baignoire en cuivre. Le mur
d'ocre rouge a été ciré et patiné par la
maîtresse de maison.

After the siesta, nothing better than a cold
shower in the burnished copper bath. The
red-ochre wall has been waxed and polished by
Marie herself.

*Page précédente : Le domaine des « petits », sous les combles, avec table et chaises Morphée de Grange.
Le plafond en pente douce dirige le regard vers les ouvertures en œil de bœuf qui diffusent remarquablement la lumière.
Dans cette chambre romantique, on retrouve l'harmonie des couleurs chères à Marie.*

*Preceding page: The youngest members of the family have their own domain under the eaves with Morphée, tables and chairs from Grange.
The ceiling slopes gently and takes your regard towards the porthole windows which diffuse light in a remarkable way. In this romantic bedroom we appreciate the harmony of colours that typify Marie's tastes.*

Encore une salle de bains d'une rigueur totale que le parfum de jasmin habille d'une profonde volupté.

Another bathroom, in all its simplicity in which jasmine flowers diffuse their voluptuous perfume.

Page précédente : Qui reconnaîtrait sous sa corniche de fleurs séchées et sa patine d'un vert délicat comme le dos des feuilles d'oliviers, le vilain petit placard que Marie avait récupéré.

Preceding page: Who would realise, that under the dried flowers and the delicate green sheen, like the backs of olive leaves, that this had just been an ugly old cupboard that Marie renovated.

Banquette Consulat de Grange et table Napoléon pliante.

Consulat bench from Grange and folding Napoleon table.

Dans ce pays de Cocagne les fleurs, avant d'être sacrifiées pour le parfum, donnent un miel délicieux et les oliviers à l'ombre si délicate fournissent une huile incomparable.

In this land of plenty, the flowers are the source of delicious honey, before finally giving us their perfumes, while the olive trees provide their delicate shade and a singular, matchless oil.

Maison d'artiste à Saint Paul de Vence

Le village de Saint Paul de Vence existe depuis l'antiquité. Il a joué un rôle important au Moyen âge à la frontière de la Provence et du Comté de Nice. Son économie était florissante, assise sur l'olivier, le figuier, la vigne, l'oranger et le blé… puis le village s'est assoupi. Vers 1920, Paul Roux fonde ce qui sera la Colombe d'Or, une auberge où viennent les peintres attirés par une lumière rare et un site exceptionnel. Signac, Renoir, Dufy, Soutine, etc. ont souvent payé leur pension d'un tableau. Matisse venait en voisin, de Vence. Plus tard Picasso et le poète Prévert seront les amis de Paul Roux qui meurt en 1953. Avec Prévert dans les années 50, ce sont les romanciers, sculpteurs, musiciens et chanteurs qui arrivent.

Plus tard, Simone Signoret y épouse Yves Montand. Tout le cinéma français vient à Saint Paul de Vence, Lino Ventura, Alain Delon, François Truffaut,… sans oublier les voisins italiens Mastroianni, Sophia Loren.

The artists' home in Saint Paul de Vence

Saint Paul de Vence is a village that dates from antiquity. In the Middle Ages it played an important part in the region's economy between the frontiers of Provence and the region of Nice. The village's riches at that time were based on olives, figs, vineyards, oranges and wheat... Until it declined into anonymity.

In 1920 Paul Roux established what was to become the Colombe d'Or. (The Golden Dove), a small inn where artists were attracted by the singular brightness of the light and the exceptional beauty of the site. Signac, Renoir, Dufy, Soutine and others frequently paid for their board and lodgings with one of their works. Matisse also came here from the neighbouring village of Vence. Picasso, and the poet Prevert became friends with Paul Roux, before his death in 1953.

In the 1950's, as well as Prevert, other writers, sculptors, musicians and singers came.

Simone Signoret married Yves Montand in Saint Paul de Vence. French cinema stars all came to Saint Paul de Vence: Lino Ventura, Alain Delon, François Truffaut,... and also their Italian neighbours, Mastroianni and Sophia Loren.

Aujourd'hui St. Paul de Vence, village de 600 habitants est l'un des plus beaux et des plus visités de France. A l'intérieur de ses remparts dont l'univers minéral est partout adouci par une végétation méridionale (Bougainvilliers, oliviers, bignones, lauriers), 150 galeries et ateliers d'artistes en font une des plus grandes concentrations d'activités artistiques : peinture, sculpture, céramique, bijouterie, chapeaux, vêtements etc. (vous pouvez consulter le site web : www.stpaulweb.com/).

Saint Paul de Vence is a village where 600 inhabitants live in one of the most beautiful and most visited of all villages in France. Within the ramparts the stonework is mellowed by the typically meridional verdure such as bougainvillaea, olive trees and laurel. 150 galleries and artist's studios make the village one of the largest concentrations of artistic activity: painting, sculpture, ceramics, jewellery, hats, clothes, etc.
(visit the web site at www.stpaulweb.com/)

L'arbre emblématique de la Provence : l'olivier. A Saint Paul de Vence, il est illuminé dès la nuit tombée.

The olive tree symbolizes Provençe. In Saint Paul de Vence, it is lit up as the sun sets.

La vie à St. Paul de Vence s'organise autour de la « rue Grande » faite en calades, assemblage de galets en motifs.

Life in St. Paul de Vence is centred around the "Rue Grande" with its patterns created using "calades" (assembled pebbles).

Tous les mardis et jeudis matin, se tient à St. Paul de Vence le plus petit et le plus chaleureux des marchés de Provence grâce à la truculente Yvette.

Every Tuesday and Thursday morning a colourful and larger than life Yvette holds the smallest and most welcoming Provençal market in St. Paul de Vence.

Depuis 3 générations « Tatti » régale les vrais habitants du village à « l'Auberge de la Fontaine ».

"Tatti" has been treating the locals at the " Auberge de la Fontaine" for three generations.

Annie et Daniel Dacavanna sont arrivés à St. Paul de Vence il y a une quinzaine d'années. Ils vendent directement dans leur boutique leur production, une ligne de vêtements très épurés mélangeant cuir et tissus. Du magasin à la maison, ils traversent un minuscule jardin à l'échelle des ruelles du village.

Annie and Daniel Dacavanna came to St. Paul de Vence about 15 years ago. They sell the fruits of their artistic flair in their own small boutique. They produce very refined clothes using a mix of leather and fabrics. From their home to their boutique, they only have to cross a tiny garden, on scale with the narrow alleys in the village.

Ils habitent au cœur du village une maison du XVIIIème, en réalité deux maisons mitoyennes regroupées.
Très étroite, elle s'étire sur 3 étages agrémentés d'estrades et de changement de niveaux, où ils ont créé une ambiance très zen à base de blanc et de bois naturel.

Annie and Daniel live in the heart of the village in a XVIIIth century house. In fact it was originally two terraced houses that have been joined. Their home is very narrow and the three stories have been attractively decorated using rostra and variations in the floor levels to create a relaxing Zen atmosphere using tones of white and natural wood.

Un lustre baroque posé sur un guéridon ponctue une ambiance très dépouillée ; les bijoux sont présentés telle une nature morte.

A baroque lamp on a pedestal table accentuates a very simple atmosphere; pieces of jewellery resemble a still life.

Annie collectionne les livres magiques pour enfants.

Annie collects magically captivating children's books.

Petit salon d'été très frais donnant sur la ruelle.

A small, airy and cool summer living room looks out into the narrow alley.

*Les deux cuisines, carrelées de
faïences provençales, issues des
deux maisons rassemblées ont été
conservées. Annie ne renie pas ses
origines italiennes et adore cuisiner
les pâtes.*

*Both kitchens, one from each of the
two original houses have been kept.
The floors are laid with Provençal
glazed tiles. Annie does honour to
her Italian origins by preparing
succulent pasta dishes.*

Trois cadres vides superposés dans leur niche suffisent à donner à cette chambre d'amis une grande personnalité.

Three empty picture frames provide a decorative arrangement in a small alcove to give its own special personality to this visitors room.

Derrière le paravent à moucharabieh,
s'ouvre un grand dressing très clair,
très ordonné, mélangeant le bois
cérusé et le rotin.

Behind a "moucharabieh" (eastern
screen) is a large tidy dressing room
decorated with whitened wood and
cane.

La maison est aussi (surtout !) celle d'une superbe chatte : Indra de Nan Chao qui adore cette pièce au dernier étage de la maison, toujours très ensoleillée, synthétisant l'esprit des lieux : mélange d'orientalisme et de modernité.

This house is also (maybe mainly so!) that of a magnificent cat, Indra de Nan Chao. She loves this sunlit room at the top of the house. Here we can feel the expression of this home in a suave mingling of modern with an oriental touch.

Diffuseurs de cet ouvrage

Allemagne

LAKENBERG
Seestrasse 98
13353 BERLIN 65
Tel : 03 045 16024

WOHNSTUDIO
Wermbach Str. 25-31
63739 ASCHAFFENBURG
Tel : 06021 3015100

Autriche

BERGER
Kalten Brunerstr. 45
4810 GMUNDEN
Tel : 07612 67371

SCHRANZER
Mariahilfer Platz 5
8020 GRAZ
Tel : 0316 7764 91

WETSCHER
6263 FUGEN
Tel : 05288 600

Australie

**GRANGE FURNITURE
AUSTRALIA PTY LTD**
55 Camberwell Road
3122 HAWTHORN,
VICTORIA
Tel : 03 9882 8788

Espagne

ANAMARIA WAGNER
Despuig 37
7013 PALMA DE MALLORCA
Tel : 971450190

BALDAQUINO
Plaza de los Sitios 17
Entrada por C/Zurita 18
50001 ZARAGOZA
Tel : 976223029

DE ALBA MOBILIARO
A Ctra Madrid Lacoruna — Km41200
Los Negrales
28400 C. VILLALBA
Tel : 918507026

MUEBLES JOSE MARIA
Avda de Valdecilla 21
39004 SANTANDER
Tel : 942341400

NUNEZ GUILLERMO
C/Zuniga 12
47001 VALLADOLID
Tel : 983351233

France

MEUBLES CHALON
Route de Soyons
07500 GUILHERAND-SUR-GRANGES
Tel : 04 75 44 46 54

MEUBLES ESPI
Route Saint Cannat
13330 PELISSANNE
Tel : 04 90 55 00 10

FORMES ET LIGNES CONTEMPORAINES
Zac de Kerlann
56000 VANNES
Tel : 02 97 40 35 55

BOUTIQUE GRANGE
1 rue Colonel Chambonnet
69002 LYON
Tel : 04 78 38 23 77

BOUTIQUE GRANGE
10 rue de Richelieu
75001 PARIS
Tel : 01 42 61 22 17

BOUTIQUE GRANGE
11 rue du Bac
75007 PARIS
Tel : 01 42 61 22 28

L'HABITATION
1628 RN 5 — Maconnex
01210 FERNEY VOLTAIRE
Tel : 04 50 41 75 57

Grande Bretagne

CLEMENT JOSCELYNE
Market Square
Bishops Stortford
HERTFORDSHIRE
CM23 3XA
Tel : 01279 713000

GRANGE BOUTIQUE AT HARRODS
Dept. 592, 3rd floor
Harrods
Knightsbridge
LONDON
SW1X 7XL
Tel : 0171 225 5967

GRANGE BOUTIQUE AT SELFRIDGES
400 Oxford Street
LONDON
W1A 1AB
Tel : 0171 318 2490

STERLING FURNITURE GROUP LTD
Moss Road
TILLICOULTRY
FK13 6NS
Tel : 01259 750655

Luxembourg

LE GRENIER MOBILI
6 rue de Bettembourg
3378 LIVANGE
Tel : 51 58 69

Russie

DESIGN GALLERY BULTHAUP
Bolshaya Konnushennaya 2
191186 SAINT PETERSBURG
Tel : (812) 315 7274

Singapour

LIM'S ARTS AND CRAFTS PTE LTD
211 Holland Avenue HEX 02-01
278967 SINGAPORE
Tel : 467 13 00

Suède

DUXIANA
Sodra Promenaden 63
21138 MALMO
Tel : 04 0305977

S.O. LINDBLOM MOBLER AB
Karlavaegen 64
11449 STOCKHOLM
Tel : 08 6616108

Suisse

ESPACE GRANGE
9 place des Eaux Vives
1207 GENEVE
Tel : (022) 735 26 25

MEUBLES CH. NICOL
Faubourg de France 1-10
2900 PORRENTRUY
Tel : (032) 466 21 32

Taïwan

Z-TEN DESIGN CENTRE CO. LTD
9 Sanmin Road — Taipei
TAIWAN R.O.C. — TAIPEI
Tel : (02) 27602090

Turquie

**ARTI MIMARLIK INSAAT LTD
SANAYI VE TIC. LTD. STI**
Tesvikiye Cad. Ismet Apt 131/1 — Tesvikiye
80220 ISTANBUL
Tel : (212) 224 26 66

USA

GRANGE
Atlanta Decorative Arts Center #305
351 Peachtree Hills Ave, NE
ATLANTA, GA. 30305
Tel : (404) 237 3641

GRANGE
Boston Design Center #130
One Design Center Place
BOSTON, MA. 02210
Tel : (617) 542 3172

GRANGE
1825 Merchandise Mart
CHICAGO, IL. 60654
Tel : (312) 527 1919

GRANGE
Decorative Center #220
1617 Hiline Drive
DALLAS, TX. 75207
Tel : (214) 744 9007

GRANGE
Design Center of the Americas #B304
1855 Griffin Road
DANIA BEACH, FL. 33004
Tel : (954) 925 8895

GRANGE
Denver Design Center East #101 S.
595 South Broadway
DENVER, CO. 80209
Tel : (303) 777 1866

GRANGE
Decorative Center Houston #190
5120 Woodway
HOUSTON, TX. 77056
Tel : (713) 963 8240

GRANGE
8715 Melrose Avenue
LOS ANGELES, CA. 90069
Tel : (310) 659 7898

GRANGE
New York Design Center #201
200 Lexington Avenue
NEW YORK, NY. 10016
Tel : (212) 685 9057

GRANGE
Marketplace Design Center #106
2400 Market Street
PHILADELPHIA, PA. 19103
Tel : (215) 557 0118

GRANGE
San Francisco Design Center
The Showplace #160
2 Henry Adams Street
SAN FRANCISCO, CA. 94103
Tel : (415) 863 6406

GRANGE
Seattle Design Center #120
5701 Sixth Avenue South
SEATTLE, WA. 98108
Tel : (206) 768 8440

GRANGE
Michigan Design Center #77
1700 Stutz Drive
TROY, MI. 48084
Tel : (248) 649 9372

GRANGE
Washington Design Center #237
300 D Street SW
WASHINGTON, DC. 20024
Tel : (202) 488 0955

Remerciements

A Dominique MERCIER, sans qui ce livre n'aurait jamais vu le jour,

A ceux qui se sont engagés fortement avec nous dans cette aventure :
Jules, Galip, Michel et Eliane,…

A ceux qui nous ont ouvert leur maison avec tant de chaleur et d'amitié :
Mireille et Robert, Annie et Daniel, Pierre et Marie Louise,
Laurence et Pierre Emmanuel, Dominique et Eric, Paul et Marie

A l'équipe technique qui nous a accompagnés :
Jean-Pierre GROBOZ, Monique CHARNAY, Paul SONDAZ
F. H de VIGNEMONT, Stéphane AUDRAS, Dominic et Anne DITCHFIELD

Acknowledgements

We would like to thank all those who encouraged and helped us to prepare this book especially:

Dominique MERCIER, without whom our project for this book could not have been realised.

Those who committed themselves with us in this enterprise: Jules, Galip, Michel and Eliane.

Those who opened their homes for us with so much warmth and friendliness:
Mireille and Robert, Annie and Daniel, Pierre and Marie Louise,
Laurence and Pierre Emmanuel, Dominique and Eric, Paul and Marie.

Our technical support team:
Jean-Pierre GROBOZ, Monique CHARNAY, Paul SONDAZ
F. H de VIGNEMONT, Stéphane AUDRAS, Dominic and Anne DITCHFIELD.

Maquette, composition DG Communication Lyon
Achevé d'imprimer sur les presses de l'imprimerie Sezanne en novembre 1999
Dépot légal 4è trimestre 1999